Baie du Marigot

Fort Napoléon

Ilet à Cabrit

Le bourg

Pain de sucre

Grande Anse

Le Chameau

Terre de Haut

RLK

Du même auteur

- PLB éditions -

Collection Kayali
BÉBÉ FÉE KAYALI - LES BESTIOLES ET LE GÉANT
KAYALI FÉE DES CARAÏBES - LE PIÈGE

Collection 7 jours
7 JOURS À ST-BARTH
7 JOURS AUX SAINTES
7 JOURS EN GUADELOUPE
7 JOURS EN MARTINIQUE

- RLK éditions -

Collection St-Barth autrefois
À LA CASE
À LA PLAGE

43, Impasse Moinet - Saint-Félix - 97190 Le Gosier - Guadeloupe
e-mail : plbeditions@wanadoo.fr
www.plbeditions.com

Loi 49956 sur les publications destinées à la jeunesse
Dépôt légal : juillet 2013
ISBN 978-2-35365-030-9
Impression : *Beta*, Espagne.

aux Saintes

Rémy-Laurent Kraft

Traduction Ellen Lampert-Gréaux

PLB

EDITIONS

Le bourg

Lundi

Anna est très heureuse, car ce matin, les voyageurs sur le quai lui ont acheté ses gâteaux. Il ne reste qu'un seul délicieux « tourment d'amour » dans son panier, et Snoop aimerait bien en avoir une part.

Monday

Anna is very happy since she sold most of her cakes to the travelers on the dock this morning. There is only one delicious «tourment d'amour» left in her basket, and her dog Snoop would love to have a bite.

RIK

RLK

Marigot

Mardi

Après la pêche, Mathieu garde toujours des petits poissons trouvés au fond des filets pour nourrir Chip son ami le pélican. Cécile a peur de ce grand oiseau et préfère gâter les chatons...

Tuesday

After going fishing Mathieu always feeds his friend, Chip the pelican, with small fish found in the bottom of the nets. Cécile is afraid of this big bird and prefers spoiling the kittens . . .

Pompierre

Mercredi

Très tôt ce matin, Mélissa, Timothé et Joseph rassemblent les crabes pris dans leurs pièges, avant que les promeneurs viennent s'installer à l'ombre des cocotiers sur la belle plage de Pompierre.

Wednesday

Very early this morning, Melissa, Timothy, and Joseph collected the crabs that were caught in their traps, before those strolling on the beautiful beach in Pompierre settled down in the shade of the coconut palms.

RIK

Pain de sucre

Jeudi

Tandis que les pêcheurs remontent la senne, Lucien et Hélène ramassent les coulirous mal en point sortis du filet.

«Hé ! regarde le beau Lambi !» s'exclame Hélène.

Thursday

As soon as the fisherman haul in their «seine», Lucien and Hélène pick up the small fish that are falling out of the net.

«Look! a beautiful Queen conch!» exclaims Hélène.

Fort Napoléon

Vendredi

Martine aime monter au fort avec Thomas
et l'écouter raconter toutes ces histoires
passionnantes de corsaires et de pirates.
Les cabris et les iguanes ne perdent rien
des aventures qu'il raconte si bien.

Friday

Martine enjoys going up to the fort with
Thomas to listen to him tell his passionate
stories about corsairs and pirates.
The goats and iguanas don't miss a
word of these adventures that Thomas
recalls so well.

Terre de Bas

Samedi

Clémence est en visite dans la famille. Avec son cousin Marcel, elle fait la cueillette des merises. Sa tante en fait de délicieuses confitures. Elle sait qu'elle pourra emporter un pot et se régale d'avance.

Saturday

Clémence has come to visit the family. With cousin Marcel, she has been picking "merises". Her aunt makes delicious jam with these wild cherries. She knows she can take a jar home with her and is already anticipating the great taste.

Le Chameau

Dimanche

Maria aime grimper au sommet du Chameau
pour y retrouver ses biquettes favorites.
Elle a donné des noms à chaque petit cabri.
Il faut faire attention, là-haut, car il y a
beaucoup de cactus!

Sunday

Maria enjoys climbing to the summit of
«Le Chameau» to find her favorite little
«cabris». She has given a name to each
of these little goats. But you really have
to be careful of the cactus, which are so
numerous up there.

Le tourment d'amour

Le tourment d'amour est un petit gâteau fourré de confiture de goyave ou de coco.

A "tourment d'amour" is a small round cake filled with guava or coconut jam.

Le pélican

Le pélican est un grand oiseau aquatique qui se nourrit principalement de poissons.

The pelican is a large aquatic bird that feeds primarily on fish.

Le lambi

Le lambi est un gros escargot de mer à la chair délicieuse.

The Queen Conch is a large sea snail, whose flesh is delicious.

Le cabri

Le cabri est le nom de la chèvre créole. Ils sont très nombreux aux Saintes.

Cabri is the Creole name for a goat. There are many goats in Les Saintes.

Le salako

Le salako est le chapeau typique des Saintes. Il est d'origine annamite.
A salako is a traditional hat in Les Saintes. Its origins come from the Annamese people.

Les merises

Plus petits qu'une cerise, ces fruits charnus, rouge foncé ou noir, ont une chair savoureuse.
Smaller than regular cherries, this plump reddish or black berry is very flavorful.

L'iguane

L'iguane commun est un grand lézard qui adore les fleurs d'hibiscus.
The iguana is a large lizard that adores eating hibiscus flowers.

Le malfini

Le malfini (frégate) pêche en surface ou vole le butin des autres oiseaux.
The malfini (frigate) fishes on the surface or steals the catch of other birds.

Les Saintes

Terre de Bas

Grande Anse

Petite Anse

Morne Paquette

Grande Baie